中华人民共和国国家标准

# 通信高压直流电源设备工程设计规范

Code for design of high voltage DC power supply equipment engineering for telecommunication

**GB 51215 - 2017**

主编部门:中华人民共和国工业和信息化部

批准部门:中华人民共和国住房和城乡建设部

施行日期:2 0 1 7 年 7 月 1 日

中国计划出版社

2017 北 京

中华人民共和国国家标准
通信高压直流电源设备工程设计规范
GB 51215-2017
☆
中国计划出版社出版发行
网址：www.jhpress.com
地址：北京市西城区木樨地北里甲11号国宏大厦C座3层
邮政编码：100038　电话：(010) 63906433（发行部）
北京市科星印刷有限责任公司印刷

850mm×1168mm　1/32　1.5印张　34千字
2017年5月第1版　2017年5月第1次印刷
☆
统一书号：155182·0073
定价：12.00元

# 中华人民共和国住房和城乡建设部公告

**第 1437 号**

## 住房城乡建设部关于发布国家标准《通信高压直流电源设备工程设计规范》的公告

现批准《通信高压直流电源设备工程设计规范》为国家标准，编号为 GB 51215—2017，自 2017 年 7 月 1 日起实施。其中，第 3.5.1、7.1.1、8.1.1、8.1.2 条为强制性条文，必须严格执行。

本规范由我部标准定额研究所组织中国计划出版社出版发行。

**中华人民共和国住房和城乡建设部**

**2017 年 1 月 21 日**

# 前　言

本规范是根据住房城乡建设部《关于印发〈2011年工程建设标准规范制订、修订计划〉的通知》(建标〔2011〕17号)的要求,由广东省电信规划设计院有限公司会同有关设计单位共同制定完成的。

本规范在编制过程中,编制组深入调研我国通信高压直流电源系统的应用现状,认真总结工程设计实践经验和研究成果,广泛征求了有关设计、建设、运行维护、制造、研究等方面的意见,最后经审查定稿。

本规范共分10章,主要内容包括:总则、术语、基本规定、整流设备配置、配电设备配置、蓄电池组配置、导线的选择与布放、监控系统要求、防雷与接地要求、机房与设备布置要求。

本规范中以黑体字标志的条文为强制性条文,必须严格执行。

本规范由住房城乡建设部负责管理和对强制性条文的解释,由工业和信息化部通信发展司负责日常管理,由广东省电信规划设计院有限公司负责具体技术内容的解释。执行过程中如有意见或建议,请寄送至广东省电信规划设计院有限公司(地址:广州市天河区华景路1号南方通信大厦,邮政编码:510630),以供今后修订时参考。

本规范主编单位、参编单位、主要起草人和主要审查人:

**主 编 单 位:**广东省电信规划设计院有限公司

**参 编 单 位:**中国移动通信集团设计院有限公司
中讯邮电咨询设计院有限公司
华信咨询设计研究院有限公司
江苏省邮电规划设计院有限责任公司

**主要起草人:** 程劲晖　谢拥华　郑建飞　涂　进　黄战略
严　华　王　文　郭新挺　曾石麟　彭绍发
余治文　肖　波　罗秋菊　彭广香　王　伟
王志岗　叶向阳　卢智军　陈月琴

**主要审查人:** 熊兰英　李　峰　龚建中　韩冠军　许伟杰
杜　民　赵长煦　李克民　杨世忠　张广明
叶其革　彭大铭　高　炜

# 目　　次

# Contents

# 1 总　　则

**1.0.1** 为了通信高压直流电源系统的规划与设计能够贯彻执行国家的技术经济政策，做到保障人身安全、供电可靠、技术先进和经济合理，制订本规范。

**1.0.2** 本规范适用于通信局（站）和数据机房的高压直流电源系统新建、扩建及改建工程的规划与设计。

**1.0.3** 系统的规划与设计应遵循开放性的原则，充分考虑安全性和可在线扩充性。

**1.0.4** 总体方案设计、设备选型等应根据工程特点、建设规模、经济效果、设备寿命和发展规划，做到远、近期结合，在满足近期使用要求的同时，兼顾远期发展的需要。

**1.0.5** 系统的规划与设计应综合考虑投资、运营环境、可靠性、建设周期等因素，合理控制工程造价和运行维护成本。

**1.0.6** 系统设计应采用成熟的技术，并采用符合国家现行有关标准的高效节能、环保、安全、性能先进的产品，产品应检验合格。

**1.0.7** 在我国抗震设防烈度7度以上（含7度）地区进行通信网络建设时，应满足抗震设防的要求。

**1.0.8** 系统的规划与设计，除应符合本规范外，尚应符合国家现行有关标准的规定。

# 2 术 语

**2.0.1** 通信高压直流电源系统 high voltage DC power supply system for telecommunication

以直流方式为通信设备供电，标称电压不小于220V的电源系统。本规范特指240V、288V、336V的直流电源系统。

**2.0.2** 标称电压 nominal voltage

表示或识别电源系统的适当的电压近似值，通信直流电源系统一般取系统中并联后备电池组的额定电压。

**2.0.3** 悬浮方式 suspended mode

系统输出的正、负极均不接地的方式。

**2.0.4** 绝缘监察 insulation monitoring

对直流输出与地的绝缘性能进行检测，判断是否发生接地故障或绝缘性能降低。当发生故障或绝缘性能劣化时发出告警。

**2.0.5** 分散供电 distributed power supply

指全局分设多个通信电源供电点，每个供电点对邻近的通信设备提供独立的供电电源。

**2.0.6** 电涌保护器 surge protective devices(SPD)

用于限制瞬态过电压和分泄电涌电流的器件，它至少含有一个非线性元件。

**2.0.7** 隔离开关熔断器组 switch-disconnector-fuse

隔离开关的一极或多极与熔断器串联构成的组合电器。

# 3 基本规定

## 3.1 一般规定

**3.1.1** 对于大型通信枢纽、数据中心或重要的通信局(站),应采用分散供电方式。

**3.1.2** 对于不支持高压直流的用电设备或系统,可采用其他供电方式。

**3.1.3** 系统建设方案应根据实际情况合理确定,提高系统可靠性。

## 3.2 运行环境

**3.2.1** 系统运行的环境温度应符合现行行业标准《通信中心机房环境条件要求》YD/T 1821 的有关规定。

**3.2.2** 系统运行的相对湿度应符合现行行业标准《通信中心机房环境条件要求》YD/T 1821 的有关规定。

**3.2.3** 系统所在机房的洁净度应符合现行行业标准《通信中心机房环境条件要求》YD/T 1821 的有关规定。

**3.2.4** 当系统运行的海拔高度大于 1000m 时,应考虑空气冷却效率降低的影响。

**3.2.5** 当通信高压直流电源设备安装在独立机房内,且设备对环境温度、湿度和洁净度的要求较宽时,可在满足通信系统安全性的前提下降低运行环境要求。

## 3.3 系统组成

**3.3.1** 系统应由交流配电部分、整流模块、直流配电部分、蓄电池组、监控单元、绝缘监察装置以及接地部分组成。

**3.3.2** 系统设备的结构可选用分立式系统或组合式系统。

1 分立式系统的交流配电、整流模块、直流配电宜分别设置在不同的机架内，蓄电池组应单独安装；监控单元以及绝缘监察装置可安装在其中某一机架内。

2 组合式系统的交流配电、整流模块、直流配电、监控单元、绝缘监察装置以及接地部分应同机架设置，蓄电池组可单独安装。

**3.3.3** 当系统远期容量大于400A或要求具有较好扩展性时，宜选用分立式系统。

**3.3.4** 直流系统容量应包括直流设备功率和蓄电池组的充电功率。

## 3.4 市电和备用发电机组

**3.4.1** 系统应利用市电作为主用电源，应为三相引入，并应采用TN-S接线方式。

**3.4.2** 市电的类别划分应符合现行国家标准《通信电源设备安装工程设计规范》GB 51194的有关规定。系统宜采用一类或二类市电。

**3.4.3** 系统所在通信局(站)宜配置Dyn11接线组别的专用变压器，变压器容量应满足供电容量需求。

**3.4.4** 系统应配置备用发电机组作为备用电源，其容量应满足供电容量需求。

**3.4.5** 由市电和备用发电机组电源组成的交流供电系统，在满足用电负荷要求的前提下，应做到接线简单、操作安全、调度灵活、检修方便。

## 3.5 安 全 规 定

**3.5.1 系统输出必须采用悬浮方式。**

**3.5.2** 整流机架、直流配电设备内部的经常性操作区域与非经常性操作区域应设置隔离装置。

**3.5.3** 系统的交流或直流裸露带电部件应设置外壳、防护挡板或防护门，增加绝缘包裹等措施。

**3.5.4** 设备外壳防护等级不应低于 IP20，并应符合现行国家标准《外壳防护等级（IP 代码）》GB 4208 的有关规定。

**3.5.5** 日常维护可能触及的系统直流母排处应套上有正、负极颜色标识的热缩套管，并应在醒目处设置警告标志。

**3.5.6** 机房孔洞的防火封堵应符合现行国家标准《建筑设计防火规范》GB 50016 的有关规定。

**3.5.7** 系统设备的维护通道应铺设绝缘胶垫，宽度不宜小于 1000mm，厚度不宜小于 4mm。

# 4 整流设备配置

**4.0.1** 系统容量应按远期负荷规划，其中整流机架应按远期负荷配置，整流模块的容量宜按近期负荷配置。

**4.0.2** 主用整流模块的总容量应按负荷电流和电池的均充电流之和确定。

**4.0.3** 分立式系统容量宜小于 1200A，最大不应超过 1600A；组合式系统容量不宜超过 400A。

**4.0.4** 系统的整流模块数量应按 $N+1$ 冗余方式配置，$N$ 不大于10 时，1 只备用；$N$ 大于 10 时，每 10 只备用 1 只。

**4.0.5** 在每个系统中，整流模块数量不宜少于 3 只，并联使用的整流机架不宜超过 3 架，在一个整流机架中安装的整流模块不宜多于 20 只。

# 5 配电设备配置

## 5.1 交流配电设备的配置

**5.1.1** 交流配电设备宜接入两路交流输入，且应具备切换功能。

**5.1.2** 系统的交流总输入应设置交流隔离保护器件，每一只整流模块交流输入应设置独立的断路器。

**5.1.3** 交流输入配电设备容量、线缆线径应按远期负荷考虑。

## 5.2 直流配电设备的配置

**5.2.1** 系统的直流配电设备宜按远期负荷配置。

**5.2.2** 分立式系统宜采用直流系统总输出屏和直流列柜两级直流配电；当系统容量较大或供电区域广、设备多时，可采用直流系统总输出屏、机房直流分配屏和直流列柜三级配电。

**5.2.3** 组合式系统宜直接供电至通信设备机架；当通信设备较多时，可先供电至直流列柜。

**5.2.4** 根据负载重要程度的不同，直流配电回路可采用单路或双路配电方式。

**5.2.5** 直流配电全程电压降应根据蓄电池的放电终止电压与用电设备工作允许电压计算确定，不应大于系统标称电压的5%。

**5.2.6** 新建系统直流配电全程应采用双极保护器件；保护器件应采用熔断器或直流断路器，其额定工作电压范围应与系统电压相适应。

**5.2.7** 直流系统总输出屏、机房直流分配屏及直流列柜的输入端宜采用熔断器作为保护器件，直流列柜的输出端宜采用直流断路器作为保护器件。

**5.2.8** 当熔断器和直流断路器配合保护时，熔断器宜装设在直流断路器上一级，其额定电流不应小于直流断路器额定电流的2倍。

**5.2.9** 直流系统总输出屏、机房直流分配屏、直流列柜采用双母线供电方式时，应设独立两路输入总开关，正极和负极应分别采用过流保护器件。双路输入的机房直流分配屏、直流列柜可配备能改成单路输入的连接端子，能够灵活调整供电方式。

**5.2.10** 各级直流配电屏输出分路的数量和容量应能满足下级配电要求，屏内各分路应便于区分标识及接线操作，结构清晰。

**5.2.11** 通信设备机架内直流配电单元应采用直流断路器或交流、直流兼容的断路器进行保护，输入侧应采用双极断路器，输出侧宜采用双极断路器，通信设备引电宜采用接线端子。

**5.2.12** 通信设备机架内直流配电单元一个断路器回路宜接入一台设备。当通信设备内部配置多个电源模块时，应由不同回路接入。

**5.2.13** 蓄电池组正极、负极宜采用熔断器作为过流保护装置，容量应满足系统远期负载需求，组合式系统应设在组合机架内，分立式系统应设在直流系统总输出屏内。

**5.2.14** 在蓄电池与直流系统总输出屏之间连接电缆上靠近蓄电池一侧，宜设置直流断路器或隔离开关熔断器组等保护装置。

# 6 蓄电池组配置

**6.0.1** 蓄电池组的容量应按近期负荷配置，依据蓄电池的寿命，考虑远期发展需求。

**6.0.2** 系统配置的蓄电池不得少于2组，最多不应超过4组。

**6.0.3** 不同厂家、不同容量、不同型号、不同时期的蓄电池组不应并联使用。

**6.0.4** 蓄电池单体电压可选2V、6V、12V，蓄电池的单体数量应符合表6.0.4的规定。

**表6.0.4 蓄电池单体数量**

| 系统标称电压 | 240V | | | 288V | | | 336V | | |
|---|---|---|---|---|---|---|---|---|---|
| 单体电压(V) | 2 | 6 | 12 | 2 | 6 | 12 | 2 | 6 | 12 |
| 蓄电池个数(只) | 120 | 40 | 20 | 144 | 48 | 24 | 168 | 56 | 28 |

**6.0.5** 蓄电池类型应按照蓄电池的放电倍率选择。

**6.0.6** 重要系统可设置蓄电池组监测设备，最小监测单元可选择2V、6V、12V等。

**6.0.7** 蓄电池组总放电时长应根据市电类别、配电系统情况和维护要求等因素确定，蓄电池组总放电时长应符合表6.0.7的规定。

**表6.0.7 蓄电池组总放电时长(h)**

| 市电类别 | | 蓄电池组总放电时长 |
|---|---|---|
| 一类市电 | Ⅰ | 0.25～0.5 |
| | Ⅱ | 0.5～1.0 |
| 二类市电 | | 1.0～2.0 |
| 三类市电 | | 2.0～3.0 |

注：总放电时长可根据备用发电机组的配置、配电系统自动化情况等调整。

**6.0.8** 铅酸蓄电池的总容量应按下式计算：

$$Q \geqslant \frac{KIT}{\eta[1+\alpha(t-25)]} \tag{6.0.8}$$

式中：$Q$——蓄电池容量(Ah)；

$K$——安全系数，取1.25；

$I$——负荷电流(A)，2V单体电池电压取1.85V；

$T$——放电时长(h)，按表6.0.7的规定取值；

$\eta$——放电容量系数，按表6.0.8的规定取值；

$\alpha$——电池温度系数(1/℃)，当1≤放电小时率<10时，取$\alpha=0.008$；当放电小时率<1时，取$\alpha=0.01$；

$t$——实际电池所在地最低环境温度数值，所在地有采暖设备时按15℃考虑，无采暖设备时按5℃考虑。

**表6.0.8 铅酸蓄电池放电容量系数 $\eta$**

| 电池放电时长(h) | 0.5 | | 1.0 | | | 2.0 | 3.0 |
|---|---|---|---|---|---|---|---|
| 2V单体放电终止电压(V) | 1.70 | 1.75 | 1.70 | 1.75 | 1.80 | 1.80 | 1.80 |
| 6V单体放电终止电压(V) | 5.10 | 5.25 | 5.10 | 5.25 | 5.40 | 5.40 | 5.40 |
| 12V单体放电终止电压(V) | 10.20 | 10.50 | 10.20 | 10.50 | 10.80 | 10.80 | 10.80 |
| 放电容量系数 | 0.45 | 0.40 | 0.58 | 0.55 | 0.45 | 0.61 | 0.75 |

# 7 导线的选择与布放

## 7.1 导线的选择

**7.1.1 机房内的导线必须采用非延燃电缆。**

**7.1.2** 导线的绝缘电压等级应满足系统工作电压的要求。

**7.1.3** 最大工作电流作用下的缆芯温度,不得超过按电缆使用寿命确定的允许值。

**7.1.4** 应按敷设方式及环境条件确定导体的载流量,同时应满足热稳定及机械强度的要求。

**7.1.5** 整流机架的交流引入导线截面积应按满架容量计算。

**7.1.6** 直流导线截面积应按电缆长期允许载流量选择、回路允许电压降计算,取其较大值,并应符合下列规定:

1 电缆长期允许载流量不应小于计算电流量;

2 回路允许电压降计算截面积,应按下式计算确定:

$$S_{cac} = \rho \frac{2LI_{ca}}{\Delta U_p} \tag{7.1.6}$$

式中:$S_{cac}$——回路允许电压降计算截面积($mm^2$);

$\rho$——电阻率($\Omega \cdot mm^2/m$);

$L$——电缆长度(m);

$I_{ca}$——计算电流(A);

$\Delta U_p$——回路允许的最大电压降(V)。

**7.1.7** 直流电源线正极标色应为棕色,负极标色应为蓝色。

## 7.2 导线的布放

**7.2.1** 导线路径在符合安全要求的条件下,应满足布放路由走向合理、距离短、导线顺直、不交叉、便于敷设和维护的原则。

**7.2.2** 直流导线应与交流电源线、信号线及光缆分开布放，与－48V直流电源线同走线架（槽）敷设时应明显区隔，并应做好标识。

**7.2.3** 交流用电设备经确认由240V高压直流电源系统供电时，其电源输入端的连接宜符合下列规定：

**1** 直流电源正极宜连接到用电设备输入电源线的N端；

**2** 直流电源负极宜连接到用电设备输入电源线的L端；

**3** 用电设备交流保护地线宜连接到系统的保护地。

**7.2.4** 当系统供电对象为直流用电设备时，设备的输入电源线极性应与系统直流输出极性对应。

# 8 监控系统要求

## 8.1 绝缘监察

**8.1.1 系统直流输出必须具备绝缘监察功能，并应对总母排的对地绝缘状况进行在线监测。**

**8.1.2 绝缘监察装置应具备与监控模块通信的功能，当系统发生接地故障或绝缘电阻下降到设定值时，应发出告警信息。**

**8.1.3** 系统对输出分路的绝缘状况可进行在线或非在线监测，并应符合下列规定：

1 系统应对直流系统总输出屏的主要分路进行监测；

2 系统宜对机房直流分配屏的主要分路进行监测；

3 系统可对直流列柜的分路进行监测。

**8.1.4** 绝缘电阻告警值的设定宜符合表8.1.4的规定。

**表8.1.4 绝缘电阻告警值的设定**

| 系统标称电压(V) | 绝缘电阻告警值(kΩ) | |
|---|---|---|
| | 设定范围 | 缺省值 |
| 240 | 15～30 | 28 |
| 288 | 15～40 | 33 |
| 336 | 15～50 | 38 |

**8.1.5** 绝缘监察装置本身出现异常时应发出告警信息，且不得影响直流回路正常输出带载。

## 8.2 监控和告警

**8.2.1** 系统的监控模块应能通过RS232、RS422、RS485或TCP/IP等通信接口接入通信电源集中监控系统，实现相关的遥控、遥信和遥测功能，并应具备监控扩展功能。系统的监控性能和要求应符合现行行业标准《通信局(站)电源系统总技术要求》YD/T 1051的有关规定。

**8.2.2** 系统在故障或异常时,应自动发出相应的声光告警信号。应通过通信接口将告警信号传送到近端、远端监控设备上,部分告警信号可通过干接点送至外部告警设备,并应能区分故障的类别。

**8.2.3** 系统应具有告警记录和查询功能,告警记录可随时刷新;告警信息应具有断电保存功能。

**8.2.4** 系统中电涌保护器(SPD)或电涌保护器的保护装置发生故障时,系统均应告警。

# 9 防雷与接地要求

## 9.1 一般规定

**9.1.1** 系统的雷电过电压保护设计，应根据通信局（站）的性质、所处雷电环境制订保护方案，并应确保人员、设备的安全和通信系统的正常运行。

**9.1.2** 电源用雷电电涌保护器（SPD）的技术指标应符合现行行业标准《通信局（站）低压配电系统用电涌保护器技术要求》YD/T 1235.1的有关规定；测试方法应符合现行行业标准《通信局（站）低压配电系统用电涌保护器测试方法》YD/T 1235.2的有关规定。

**9.1.3** 系统应选用合格的电涌保护器。

**9.1.4** 选择电源用电涌保护器时，应考虑当地供电电源的电压波动范围和供电质量，对电涌保护器的标称导通电压、限制电压进行合理选择。

## 9.2 防雷要求

**9.2.1** 系统的防雷要求应符合现行国家标准《通信局（站）防雷与接地工程设计规范》GB 50689的规定。

**9.2.2** 系统的交流输入宜安装具有4+0保护模式的交流电源SPD，其最大通流容量不应小于40kA（8/20 μs）。

**9.2.3** 电涌保护器应有防自燃的热脱扣装置。

**9.2.4** 电涌保护器应串接相匹配的断路器（熔断器），保护断路器（熔断器）的额定电流不应大于前级供电线路断路器（熔断器）的1/1.6。

## 9.3 接地要求

**9.3.1** 设备外壳、机架、走线架及电池架（柜）等铁件的保护接地应符合国家现行标准《通信局(站)防雷与接地工程设计规范》GB 50689和《通信局(站)电源系统总技术要求》YD/T 1051的有关规定。

**9.3.2** 系统各级直流输出配电屏的输出回路均应有“严禁接地”的明显标识。

# 10　机房与设备布置要求

## 10.1　机房要求

**10.1.1**　安装通信高压直流电源系统的机房宜靠近负荷中心，在条件允许的通信局(站)，电源设备宜安装在通信机房内。

**10.1.2**　机房总体工艺要求应符合现行行业标准《通信建筑工程设计规范》YD 5003 的有关规定。

**10.1.3**　机房内应无爆炸、导电、电磁的尘埃，无腐蚀金属、破坏绝缘的气体，无霉菌。

**10.1.4**　蓄电池室应选择在无高温、无潮湿、无振动、少灰尘、避免阳光直射的场所。

**10.1.5**　机房防火要求应符合现行国家标准《建筑设计防火规范》GB 50016 的有关规定。重要的通信局(站)机房应安装火灾自动检测和告警装置，并应配备与机房相适应的灭火装置。

**10.1.6**　机房应采取防水、防潮措施，并应符合现行行业标准《通信中心机房环境条件要求》YD/T 1821 的有关规定。

**10.1.7**　机房楼面均布活荷载应符合现行行业标准《通信建筑工程设计规范》YD 5003 的有关规定。

**10.1.8**　机房应采取防止小动物进入机房内的措施。

## 10.2　设备布置要求

**10.2.1**　配电屏及各类换流设备前后应留有检修通道，通道最小宽度应满足安装、维护和散热的要求，宜符合表 10.2.1 的规定。

**表 10.2.1　通道最小宽度(mm)**

| 通道类型 | 最小宽度 |
| --- | --- |
| 正面与正面主通道 | 1500 |

续表 10.2.1

| 通道类型 | 最小宽度 |
|---|---|
| 正面与背面维护通道 | 1200 |
| 背面与背面维护通道 | 1000 |
| 正面与侧面维护通道 | 1200 |
| 正面与墙间主通道 | 1500 |
| 背面与墙间主通道 | 800 |
| 侧面与墙间主通道 | 1000 |
| 侧面与墙间次通道 | 800 |

**10.2.2** 蓄电池组的布置应符合现行国家标准《通信电源设备安装工程设计规范》GB 51194 的有关规定。

**10.2.3** 通信电源设备的加固措施应符合现行行业标准《电信设备安装抗震设计规范》YD 5059 的有关规定。

# 本规范用词说明

**1** 为便于在执行本规范条文时区别对待，对要求严格程度不同的用词说明如下：

**1)**表示很严格，非这样做不可的：

正面词采用“必须”，反面词采用“严禁”；

**2)**表示严格，在正常情况下均应这样做的：

正面词采用“应”，反面词采用“不应”或“不得”；

**3)**表示允许稍有选择，在条件许可时首先应这样做的：

正面词采用“宜”，反面词采用“不宜”；

**4)**表示有选择，在一定条件下可以这样做的，采用“可”。

**2** 条文中指明应按其他有关标准执行的写法为：“应符合……的规定”或“应按……执行”。

# 引用标准名录

《建筑设计防火规范》GB 50016

《通信局(站)防雷与接地工程设计规范》GB 50689

《通信电源设备安装工程设计规范》GB 51194

《外壳防护等级(IP 代码)》GB 4208

《通信局(站)电源系统总技术要求》YD/T 1051

《通信局(站)低压配电系统用电涌保护器技术要求》YD/T 1235.1

《通信局(站)低压配电系统用电涌保护器测试方法》YD/T 1235.2

《通信中心机房环境条件要求》YD/T 1821

《通信建筑工程设计规范》YD 5003

《电信设备安装抗震设计规范》YD 5059

中华人民共和国国家标准

# 通信高压直流电源设备工程设计规范

**GB 51215 - 2017**

## 条 文 说 明

# 编制说明

《通信高压直流电源设备工程设计规范》GB 51215—2017，经住房城乡建设部2017年1月21日以第1437号公告批准发布。

本规范制定过程中，编制组进行了认真的调查研究，总结了我国通信高压直流电源工程建设的实践经验。

为便于广大设计、施工、科研、学校等单位有关人员在使用本规范时能正确理解和执行条文规定，《通信高压直流电源设备工程设计规范》编制组按章、节、条顺序编制了本规范的条文说明，对条文规定的目的、依据以及执行中需注意的有关事项进行了说明。但是，本条文说明不具备与规范正文同等的法律效力，仅供使用者作为理解和把握规范规定的参考。

# 目　　次

# 1 总　　则

本章主要说明制订本规范的目的，以及本规范的主要内容和适用范围。

**1.0.1** 规划是指在通信电源建设项目的前期，为满足项目全局和长期要求，对系统建设方案进行整体性的发展计划。

**1.0.4** 本规范中，近期指工程项目建成投产后的3年～5年，远期指工程项目建成投产后的5年～10年。

**1.0.6** 本条规定的主要目的是规范高压直流供电系统中设备的选择和推广应用，并要求检验合格。

**1.0.7** 执行国家抗震防灾的相关政策，有利于保障人民的生命财产安全。

# 2 术 语

**2.0.1** 目前，国内应用较多的高压直流电源系统，其系统标称电压为240V，240V直流电源系统标准从当前大量应用的交流用电设备出发，可在不改变设备输入电源的情况下，直接使用240V直流电源系统来替代UPS系统，达到提高供电可靠性和节能的目的。该系统的产品技术比较成熟，已经在通信等行业得到了广泛的应用。从国际上看，试用较多的是更高等级的直流电压标准，如336V，国内也有试用。另外，国内在部分行业还有使用系统标称电压为288V的高压直流电源系统。

# 3 基本规定

## 3.1 一般规定

**3.1.3** 通信高压直流电源系统采用整流模块并联冗余的工作方式，蓄电池组并联在直流母排上，且一般配置2组，可靠性高。经计算，典型配置系统的可用度可达到0.99999926。

## 3.2 运行环境

**3.2.1** 高压直流供电系统与－48V直流电源供电系统对环境温度的要求相同。

**3.2.2** 高压直流供电系统与－48V直流电源供电系统对相对湿度的要求相同。

**3.2.4** 现行国家标准《半导体变流器　通用要求和电网换相变流器　第1-2部分：应用导则》GB/T 3859.2—2013中说明了环境条件对变流运行的影响，当海拔高于1000m时，空气冷却（自然对流或强迫）效率降低，温升增加。这时供需双方应在订货时确认，协商采取相应的措施。

## 3.4 市电和备用发电机组

**3.4.3** Dyn11接线组别的具体含义为：D表示变压器的初级为三角形接法，y表示变压器的次级为星形接法，n表示次级带n线，11表示初次级相位差30度。变压器采用Dyn11接线组别有如下优点：①可以输出380V和220V两种电源电压，方便用户；②降低谐波电流，改善正弦波质量；③零序阻抗小，提高单相短路电流，有利于切除单相接地故障；④三相不平衡负荷情况下能充分利用变压器容量，同时降低变压器损耗；⑤防雷性能较好。

## 3.5 安全规定

**3.5.1** 高压直流电源系统采用悬浮方式供电是借鉴电力系统输配电的方式，接触到同一极而无论其电压等级高或低都是安全的，可以保障操作及维护人员的人身安全。操作人员若不慎接触正、负母排的某一极时，不构成供电回路，不会危及人身安全；反之，若高压直流电源系统不采用悬浮方式供电，即正、负母排的一极接地，则当操作人员触碰到另一极时，将构成直流导电回路，导致触电事故，危害人身安全。本条为强制性条文，必须严格执行。

**3.5.5** 本条规定为避免操作及维护人员触碰到带电部位，以保证安全。另外，在维护操作高压直流电源系统设备时，应戴绝缘手套、穿绝缘鞋。

**3.5.6** 对机房孔洞进行封堵可以防止火灾的蔓延。

# 4　整流设备配置

**4.0.2**　主用整流模块数量的计算方法如下：

$$N \geqslant (I_{负荷} + I_{电池}) / I_{模块}$$

式中：$N$——主用整流模块数，N 为整数；

$I_{负荷}$——近期负载电流(A)；

$I_{电池}$——蓄电池均充电流(A)按 10h 放电率；

$I_{模块}$——单个整流模块额定输出电流(A)。

# 5 配电设备配置

## 5.2 直流配电设备的配置

**5.2.5** 直流配电全程的允许电压降应等于高压直流电压系统后备蓄电池组的放电终止电压减去所有用电设备最低允许电压的最高值，铅酸蓄电池单体的放电终止电压一般取 1.8V（后备放电时间不大于 1h 时取 1.75V）。

**5.2.11** 在通信设备机架中，为通信设备引电有两种方式，一种为接线端子方式，一种为插座方式，推荐采用接线端子方式是从安全性方面来考虑的。

**5.2.12** 本条规定是为防止设备发生故障时故障面扩大。

**5.2.14** 本条规定的目的是为了便于蓄电池组日常维护测试及保障安全。

# 6 蓄电池组配置

本章内容主要根据阀控式密封铅酸蓄电池制定,其他类型电池可参考。

**6.0.3** 本规定的目的是为防止蓄电池的工作性能下降,以及实际使用寿命缩短。

**6.0.7** 局站为一类市电时,可根据低压配电系统的实际情况灵活配备蓄电池组:若局站配备了自启动油机,能实现市电和油机的自动转换,且具备分步自动加载条件,蓄电池组的后备放电时长可按Ⅰ类设计,否则宜按Ⅱ类设计。

**6.0.8** 当蓄电池的设计后备放电时长不大于1h时,放电终止电压可取1.75V,否则放电终止电压取1.8V。当铅酸蓄电池的放电时长少于0.5h时,不同厂商产品的放电容量系数有较大的差异,此时应采用恒功率法计算并查对产品放电能力表。

# 7 导线的选择和布放

## 7.1 导线的选择

**7.1.1** 机房起火后通过导线蔓延是很多机房火灾事故的重要原因，采用非延燃电缆可以防止火灾通过导线蔓延。本条为强制性条文，必须严格执行。

**7.1.6** 为保证设备的正常运行，应充分考虑线路和配电环节引起的电压损失。对于 240V 高压直流电源系统，根据工程中全程压降的测试值，结合通信用－48V 直流供电系统和电力行业操作电源的使用情况，建议取值为 12V。

**7.1.7** 为了便于区分高压直流电源线与低压直流电源线，对高压直流电源线的颜色做出了规定，正极采用棕色、负极采用蓝色作为标识。

## 7.2 导线的布放

**7.2.3** 若交流用电设备采用 380V 交流输入，且 380V 电源模块是由 220V 电源模块组成，则按照本条所述电源输入端连接的规定接入 220V 电源模块。

# 8 监控系统要求

## 8.1 绝缘监察

**8.1.1** 通信高压直流电源系统的直流输出采用悬浮方式，即正、负极均不接地，绝缘监察功能可以实时地对直流输出与地的绝缘性能进行检测，判断是否发生接地故障或绝缘性能降低。由于系统电压较高，如果系统不具备绝缘监察功能，且当某一极发生对地短路或绝缘性能降低时，若操作人员触碰到另一极，则将引发触电事故，威胁操作人员的人身安全。

系统的绝缘监察功能是通过绝缘监察装置来实现的，绝缘监察的对象可以包括系统总母排、直流系统总输出屏的主要分路、机房直流分配屏的主要分路、直流列柜的分路等；其中，系统总母排是必须进行在线监测的，便于及时获取对地绝缘状态信息，保障人身安全。

本条为强制性条文，必须严格执行。

**8.1.2** 通过绝缘监察装置与监控模块的实时通信，当系统发生接地或绝缘性能降低故障时，实现在线预警或故障告警，提醒维护人员尽快排除故障，这样可以预防事故，保障人身安全。告警信息包含接地极性、对地电压、绝缘电阻值等。本条为强制性条文，必须严格执行。

# 10 机房与设备布置要求

## 10.1 机房要求

**10.1.7** 机房楼面的等效均布活荷载，应根据工艺提供的设备重量、底面尺寸、安装排列方式以及建筑结构梁板布置等条件，按内力等值的原则计算，若机房荷载不满足设备安装的承重要求，可考虑改变设备安装排列方式或采取加固措施。